San Sebastián

EVEREST

Texto: Rafael Aguirre

Fotografías: Ignacio Aguirre y Miguel Raurich

Diagramación: José Manuel Núñez

Diseño de cubierta: Alfredo Anievas

© EDITORIAL EVEREST, S. A.
Carretera León-La Coruña, km 5 - LEÓN
ISBN: 84-241-3663-2
Depósito legal: LE. 946-1996
Printed in Spain - Impreso en España

EDITORIAL EVERGRÁFICAS, S. L.
Carretera León-La Coruña, km 5
LEÓN (España)

Vista aérea del casco urbano de San Sebastián, con la catedral del Buen Pastor.

SAN SEBASTIÁN

San Sebastián es la capital del territorio histórico de Guipúzcoa. Es ésta la provincia más pequeña en extensión de España, con un paisaje montuoso en el que la población y la industria ocupan los valles de los numerosos ríos que la atraviesan. La costa es abrupta pero se abre a intervalos regulares en playas amplias y bellas. Su clima es moderado tanto en verano como en invierno oscilando casi siempre entre los 10° y 25° C de temperatura.

Este clima y la belleza del paisaje atrajeron a la Corte española que hizo de San Sebastián su residencia estival a partir del primer viaje de la Reina Isabel II.

Situada Guipúzcoa en el corazón del País Vasco, ha podido conservar por ello, con más fuerza que los territorios vecinos, sus costumbres y folclore tradicionales.

El nombre vasco de San Sebastián es Donostia y esta denominación bilingüe aparece en todas la publicaciones y en los mensajes de la vía pública.

En este lugar existió, desde antiguo, un poblado de pescadores, embrión de la actual ciudad. Nace a la historia, por vez primera en el siglo XII, cuando el Rey Sancho *el Sabio* de Navarra otorga a la villa su fuero, denominándola ya *San Sebastián*. Sus habitantes vivían de cara al mar, dedicados a la caza de la ballena y a la pesca del bacalao, llegando en su busca hasta las costas de Groenlandia y Terranova. Paralelamente, se desarrolla en San Sebastián un intenso comercio marítimo siendo el puerto de embarque de los vinos y aceites que desde Aragón y Navarra eran enviados a Francia, Inglaterra y Flandes. Su situación junto a la frontera, paso obligado de los ejércitos, la convirtió en ciudad amurallada siendo objeto de asedio en numerosas ocasiones. En el año 1808, San Sebastián fue ocupada por los ejércitos napoleónicos que permanecieron en la ciudad hasta 1813. En este año tropas angloportuguesas pusieron sitio a la ciudad y, tras conquistarla, le prendieron fuego. La destrucción fue casi total, salvándose solamente los edificios situados más al Norte y entre ellos las iglesias de **Santa María y San Vicente.**

El nuevo San Sebastián arranca de ese fecha de 1813, con la reconstrucción de la **Parte Vieja.** Otro hecho histórico sucede cincuenta años más tarde. Las murallas que oprimían la ciudad son derribadas y San Sebastián comienza su desarrollo urbanístico hacia el sur, realizado con admirable armonía.

A la derecha, grabado que representa el antiguo San Sebastián.

Arriba, vista de la bahía de San Sebastián. Abajo, barrio de pescadores.

Atardecer sobre el Monte Igueldo. ▶

EL PAISAJE URBANO

Cuatro montes protegen la ciudad de los embates del mar y del viento: **Igueldo,** la **isla Santa Clara, Urgull** y **Ulía.** Al sur, otra línea de montañas cierra la vista aumentando su altura a medida que se alejan hacia el horizonte.

El **monte Igueldo** cuenta hoy con una explanada y parque de atracciones en su cumbre, a la que es obligado subir para disfrutar de la mejores vistas sobre la ciudad. Coronando el monte, existe un torreón moderno que sustituyó al antiguo faro. Al monte Igueldo se accede a través de dos carreteras que lo circulan y de un funicular inaugurado en 1912.

La **isla de Santa Clara** hace de rompeolas natural y conserva las aguas de la bahía en calma relativa. El blanco edificio del faro es la única construcción existente. En verano, la isla es importante centro de visita, llegándose a ella a través de un servicio de embarcaciones que salen del puerto deportivo.

Al amparo del **monte Urgull** surgió la primitiva villa de San Sebastián. Hoy Urgull es un parque municipal, pero conserva cuidadosamente los rasgos de su castillo: lienzos de murallas, troneras, baterías de cañones, casamatas… Una red de caminos conducen a la cumbre en la que se erigió una estatua de Cristo.

La última de las montañas, hacia el este, es **Ulía.** A principios del siglo se construyó un parque de atracciones, hoy desaparecido. En su cumbre están las instalaciones de tiro al plato, cercanas a la «Peña del Ballenero» que nos evoca épocas pasadas, cuando el vigía advertía a puerto la presencia cercana de los cetáceos, encendiendo una hoguera.

Doble página anterior, nocturno de San Sebastián.

Panorámica desde el Monte Urgull. ▶

Vista de San Sebastián desde el Monte Ulía.

Crepúsculo en San Sebastián.
En la página de al lado: arriba, puente de Kursaal; abajo, el puente María Cristina.

El **río Urumea** divide la ciudad en dos partes. Es un río de corto recorrido. Tres puentes monumentales lo cruzan enlazando ambas orillas. Son, de Norte a Sur, el puente del **Kursaal,** el de **Santa Catalina** y el de **María Cristina.** La vista panorámica del río permite apreciar la calidad estética del urbanismo creado a su alrededor.

Farola del puente María Cristina.

Dos aspectos del Paseo de Francia.

Ondarreta.

Playa de La Concha. ▶

La bahía de la Concha constituye el paisaje tópico de San Sebastián. Las playas de **La Concha** y **Ondarreta** lo circundan, trazando una curva de suave perfección cuyo perímetro, en bajamar equinoccial, es de 1.500 m. En un extremo está el puerto; en el otro, el Paseo del Tenis y la escultura «El Peine del Viento». Enlazando ambos puntos se extiende el **Paseo de la Concha,** que tiene para San Sebastián el mismo valor universal de evocación que la «Croisette» para Cannes o el Paseo de los Ingleses para Niza.

El barrio más antiguo de la ciudad se denomina **Parte Vieja.** Y lo es sólo en relación con las otras zonas, ya que su construcción se produce a partir del incendio que destruyó San Sebastián en 1813. Los edificios son de una armónica sencillez, alineados en calles estrechas y rectas, cuyo centro es la **Plaza de la Constitución.** Los números pintados sobre la fachada nos recuerdan un tiempo pasado, donde en la Plaza se corrían toros y el espectáculo se contemplaba desde graderíos y balcones. La «Parte Vieja» es hoy «ágora» ciudadana, lugar de encuentro para donostiarras y visitantes que, a la hora de anochecer, frecuentan sus múltiples tabernas, bares, restaurantes y sociedades gastronómicas en busca de reposo y relación humana.

El **puerto** alberga hoy numerosas embarcaciones deportivas que también han de fondear, por falta de espacio, en la bahía de la Concha. En cuanto a la dársena de pescadores, son cada vez menos los barcos y, en consecuencia, la pesca. Cuando ésta llega, su descarga constituye un espectáculo de singular atractivo.

La **Plaza de Gipuzkoa** es un parque que se abre en medio de la ciudad como un oasis de verdor. Hay plantadas especies arbóreas singulares, como cerezos japoneses, olmos, magnolios y palmeras. El pequeño estanque alberga una vistosa colección de patos y cisnes.

La costa donostiarra.

Calle del Puerto.

Plaza de la
Constitución.

Plaza de Gipuzkoa.

Diputación de Gipuzkoa.

Jardines de la plaza de Gipuzkoa. ▶

Doble página siguiente, nocturno del Ayuntamiento de San Sebastián.

MONUMENTOS Y EDIFICIOS

San Sebastián cuenta con numerosos edificios de valor arquitectónico e histórico. Aquí se recogen los más singulares.

El actual **Museo de San Telmo** fue fundado, como convento de Dominicos, en la primera mitad del siglo XVI (1530-1550), por el Secretario de Estado de Carlos V, Alonso de Idiáquez.

El **claustro** es de estilo renacimiento, a base de columnas y arcos de medio punto y de una bóveda de crucería. La planta de la iglesia es de cruz latina, teniendo un ensanche a modo de crucero, en la proximidad del presbiterio. Durante tres siglos, el edificio estuvo dedicado a convento-residencia de los Padres Dominicos.

En 1836, fue destinado a Cuartel de Artillería. Ya en el siglo XX, fue recuperado para la ciudad de San Sebastián, procediéndose a su adaptación para Museo Municipal. El Ayuntamiento adquirió el edificio en 1928, encargándose al pintor José María Sert que trabajara sobre los 590 metros cuadrados de pared que presentaba lo que había sido iglesia. En ellas recogió leyendas e historia del País Vasco, entre las que figuran algunas gestas importantes realizadas por hombres de Gipuzkoa.

Ofrece el Museo una importante colección de estelas discoidales, teniendo destinadas varias salas a arqueología, etnografía vasca y pintura tradicional, moderna y contemporánea.

Museo de San Telmo. ▶

Basílica de Santa María. Al lado, vista de su portada.
Sobre estas líneas, imagen de Nuestra Señora del Coro en el Altar Mayor.

BASÍLICA
DE SANTA MARÍA

Se encuentra situada junto a la ladera sur del Monte Urgull. Es considerada como la iglesia matriz de San Sebastián. Sobre la planta de otro templo anterior, el acutal comenzó a construirse en 1743, terminándose en 1764. Es de estilo barroco y tiene 64 metros de longitud por 33 de anchura y 35 de altura en su cúpula central. En el altar mayor se venera la imagen de la Virgen del Coro, patrona de la ciudad.

Iglesia de San Vicente.
Vista y Altar Mayor.

IGLESIA
DE SAN VICENTE

Se considera el edificio más antiguo de San Sebastián. Fue construido en la primera mitad del siglo XVI en estilo gótico, quedando sin terminar la torre. El interior es sombrío y bellísimo, coronado por un alto presbiterio que cubre un retablo valioso, obra de Ambrosio de Bengoechea y Juan de Iriarte.

CATEDRAL
DEL BUEN PASTOR

Se levanta en el centro de una extensa plaza. De estilo ojival, fue inaugurada en 1897, obra del arquitecto Manuel de Echave. Es la iglesia de mayor tamaño. La planta del edificio es regular y simétrica y tiene una superficie de 1.915 metros cuadrados. Su torre se eleva a 77 metros de altura.

Catedral del Buen Pastor.

EL AYUNTAMIENTO
(ANTIGUO CASINO)

Tras el final de la segunda guerra carlista, San Sebastián inicia una clara recuperación económica. Se piensa entonces que la construcción de un Casino es fundamental en una ciudad que empieza a pisar con fuerza entre las estaciones turísticas de Europa.

El Ayuntamiento cedió siete mil metros cuadrados de terreno con la condición de que «en ningún tiempo se destinaría a otro objeto que el Casino». La construcción duró tres años, inaugurándose el 1 de julio de 1897.

El Casino actuó, a partir de entonces, como motor de progreso en San Sebastián. Por sus salones pasaron los más destacados políticos, escritores, financieros y artistas.

La prohibición del juego en 1924 llevó al cierre de las salas de juego. Languidecieron en consecuencia sus actividades de recreo. El 20 de enero de 1947 el Ayuntamiento dejó el edificio de la Plaza de la Constitución, trasladándose al Casino, donde aún sigue siendo Casa Consistorial de la ciudad.

El juego es una arraigada pasión de los donostiarras.

Ayuntamiento.
Vista y Salón de Actos.

Palacio Miramar.

EL TEATRO VICTORIA EUGENIA

El Teatro Victoria Eugenia fue inaugurado en 1912, con asistencia de los Reyes. En 1922 el teatro fue reformado, llevándose a efecto obras varias en palcos y plateas.
San Sebastián era, en aquel principio de siglo, estación turística de prestigio mundial. En consecuencia, por la escena del Teatro pasaron las más renombradas figuras de la música.
Tras la guerra civil es, a través de la Quincena Musical donostiarra donde se ofrecen las mejores figuras y espectáculos. El Teatro Victoria Eugenia es también Palacio del Festival de Cine, de forma permanente y continua desde su inicio en el año 1953.
El Teatro Victoria Eugenia revirtió al Ayuntamiento de San Sebastián en 1983. En 1985 se iniciaron unas completas obras de restauración de fachada e interior que permitieron su reapertura el mismo año.

PALACIO Y PARQUE DE MIRAMAR

En una primera etapa (de 1887 a 1893) y mientras se construía el **Palacio de Miramar,** la Reina María Cristina se alojó en la finca de Ayete, propiedad de los Duques de Bailén. El Palacio de Miramar se inauguró el 19 de julio de 1893. Su estilo es «cottage inglés Reina Ana». En cuanto a los jardines del parque que rodean el Palacio, fueron diseñados por el donostiarra Pierre Ducasse. El Palacio fue construido íntegramente del peculio de la Reina Regente, pues no quería ser gravosa al pueblo que tan bien la acogía cada verano.
A raíz del fallecimiento de la Reina María Cristina, en 1929, el lugar conoció una decadencia progresiva. En 1971 el Ayuntamiento adquirió la finca y quedaban convertidos los jardines en Parque Municipal, abierto a la población, dedicándose el Palacio a recepciones y actividades culturales.
La superficie total de la finca es actualmente de 34.136 metros cuadrados y la del Palacio, con sótano y tres plantas, de 5.600 metros cuadrados.

Teatro Victoria Eugenia.

Palacio de Ayete.

Palacio del Mar. ▶

PALACIO Y PARQUE DE AYETE

El **Palacio de Ayete** fue construido por los Duques de Bailén en 1878, sobre terrenos del caserío Ayete. En el Palacio residieron como huéspedes, en una primera época, las más destacadas personalidades de la aristocracia y de la política. En una columna situada frente a la puerta del Palacio puede leerse los años en que Alfonso XII y la Reina María Cristina estuvieron alojados en él: 1887, 1888, 1889, 1890, 1891, 1892 y 1893. En este año trasladaron su residencia al Palacio de Miramar.

El Palacio de Ayete era, con el Palacio de Miramar, la edificación singular más preclara de la ciudad. Se rodeaba de 74.400 metros cuadrados de jardines.

En el año 1939 el Ayuntamiento de San Sebastián acordó la compra del Palacio para ofrecerlo al Jefe de Estado. Ayete fue residencia del General Franco desde 1940 a 1975, sirviendo de sede durante el verano para la celebración de los Consejos de Ministros del Gobierno español en aquel período.

El día 20 de julio de 1977 sus jardines fueron abiertos al público.

EL «PALACIO DEL MAR»
AQUARIUM

El edificio denominado **Palacio del Mar,** conocido popularmente por el *Aquarium,* fue inaugurado el
año 1928. Está situado al pie del Monte Urgull, al final del puerto y junto al Paseo Nuevo. Su situación
al borde del mar, lo hace visible desde todos los puntos que circundan la bella bahía donostiarra.
Su interior se distribuye en tres plantas, donde se ubican tres secciones o exposiciones principales:
Planta baja-Acuario, en la que se exhiben numerosas especies de la fauna marina del litoral. Planta
primera-Museo Oceanográfico, que contiene secciones de conchas, peces, aves, algas, crustáceos,
corales y otras colecciones de seres marinos. Planta segunda-Museo Naval, que describe la historia
naval local, planteada en cuatro secciones principales, dedicadas a la Pesca, Construcción Naval,
Puertos y Comercio Marítimo, Cartografía y Náutica, Etnografía y biografías de marinos ilustres.
Actualmente se proyecta la construcción de un nuevo y amplísimo Acuario.

Dos aspectos del parque de María Cristina.   *Bacalao con pimientos y tomate.*

Doble página siguiente, tamborrada en la víspera de San Sebastián.

GASTRONOMÍA DONOSTIARRA

La gastronomía vasca, una de las más variadas y completas del mundo, tiene su especialidad en el pescado, con una diversidad muy grandes de especies, preparadas de mil formas diferentes.

Las especialidades más características son la merluza a la vasca o en salsa verde, el *txangurro* o centollo, los chipirones en su tinta, las *kokotxas,* las angulas y las distintas formas de preparación del bacalao.

Para acompañar a estos platos, la provincia de Gipuzkoa produce un excelente vino blanco, llamado *txakoli,* de regusto ligeramente agrio, que se cultiva especialmente en Guetaria.

Podemos afirmar que San Sebastián es el centro de la gastronomía del País Vasco. Restaurantes como «Arzak» o «Akelarre» figuran con las máximas calificaciones en las guías gastronómicas más prestigiosas. Diremos concretamente que San Sebastián aparece en la Guía Michelín con diez estrellas de diversos restaurantes, la concentración más alta de Europa, tras la región de Lyon.

La calidad de esta gastronomía se explica, al menos en parte, por la existencia de las **Sociedades populares o gastronómicas.** Las sociedades populares constituyen uno de los elementos caracterizadores de San Sebastián. Forman estas Sociedades grupos de amigos que se reúnen en un local para comer o cenar lo que ellos mismos preparan. Pero no sólo les une el móvil gastronómico. Necesitan ese contacto humano como fórmula de escape a las tensiones de cada día. El acceso a las mujeres está limitado. La carne, el pescado o las hortalizas se compran fuera. Pero los ingredientes y la bebida son sacados de la bodega de la Sociedad y abonados por el usuario sin mayor control, en un sistema de confianza mutua que no falla. Más de un centenar de Sociedades existen en San Sebastián, muchas de ellas ubicadas en la «Parte Vieja».

Gaztelubide. Sociedad gastronómica.

ACTIVIDADES VARIADAS

San Sebastián desarrolla un variado programa de actividades que ejercen una particular atracción para los visitantes.

El año festivo se inicia el 20 de enero, con las fiestas patronales. La víspera –noche del día 19– es costumbre cenar fuera de casa, bien en restaurantes o en sociedades populares, para dirigirse luego a la Plaza de la Constitución. Aquí, a las 12 en punto, tiene lugar el acto de izar las banderas como señal de inicio para el jolgorio popular. Y esta ceremonia, que preside el alcalde, se hace a los acordes de las músicas populares interpretadas por la **Tamborrada de Gaztelubide.** A lo largo de la noche, y durante todo el día siguiente, treinta y seis tamborradas recorren las calles de San Sebastián. El momento culminante de la fiesta es la salida de la tamborrada infantil. Unos 6.000 niños, encuadrados en cincuenta compañías distintas y vestidos con uniformes militares del siglo XIX, desfilan al son de los mismos ritmos en un espectáculo de gran vistosidad.

La tamborrada marca el inicio del tiempo del Carnaval, que tiene su continuidad en la salida de dos comparsas en el mes de febrero: la de «Caldereros» y la de «Iñudes y Artzaias». Todo esto culmina en el Carnaval donostiarra donde, durante cinco días, ingeniosas comparsas, carrozas, músicos y «fanfares» alegran las calles, sumándose a ellas los donostiarras y forasteros con variados disfraces.

La primavera es la época de grandes conciertos musicales que se prolonga en el solsticio de verano, alrededor del 24 de junio, festividad de San Juan. El solsticio se celebra en el País Vasco con acto que son reminiscencia de ritos paganos. El culto al Sol como deidad benéfica, en cuyo honor se encendían hogueras en todo el País, sigue teniendo una vigencia formal. Cristianizada la tradición, ha surgido la Fiesta del árbol de San Juan, celebrada en la Plaza de la Constitución donostiarra, en la tarde del 24 de junio.

Tamborrada infantil del 20 de enero.

Tras los «sanfermines» de Pamplona, a principios de julio, se produce el estallido del verano en San Sebastián. Fiestas variadas se suceden en calles y plazas. La música del Jazz atrae al Festival a jóvenes de Europa. Comienza la temporada de carreras de caballos que se prolongará hasta el otoño. Los clubs de Golf, Tenis, Náutico, Hípica y Tiro, organizan concursos internacionales en sus modalidades respectivas. Culmina el verano en la Semana Grande donostiarra, alrededor del 15 de agosto, con un programa espectacular de acontecimientos deportivos, festivos y musicales que, cada noche, se cierran en las sesiones del Concurso Internacional de Fuegos Artificiales.

En la segunda parte de agosto se celebra la Quincena Musical. Las más prestigiosas orquestas y ballets actúan en el Teatro Victoria Eugenia y en otros auditorios de la ciudad, en un programa que cuenta con un prestigio de calidad, reconocido en Europa.

Septiembre es el mes de las tradiciones y folclore vasco. Las regatas de traineras atraen en los dos primeros domingos a decenas de miles de personas alrededor de la bahía de la Concha. En los pueblos vecinos las fiestas patronales ofrecen las múltiples formas del deporte autóctono –pelota, cortadores de troncos, levantadores de piedra, etc.– con lo que el hombre vasco llenó durante siglos su ocio.

La temporada veraniega se cierra con el máximo acontecimiento cultural y festivo del año: el Festival Internacional de Cine de San Sebastián. Un festival a la altura y categoría de los de Berlín, Cannes, Venecia y Moscú.

Congresos y Ferias Comerciales varias, llenan el otoño. La Feria de Santo Tomás, el 21 de diciembre, abre la puerta a las fiestas navideñas. En la Plaza de la Constitución se celebra una exposición de productos agrícolas y de animales. En otras plazas de la Parte Vieja hay montados puestos de productos artesanos y herramientas para el campo, así como de venta de quesos, chacolíes y el tradicional bocadillo de pan y txistorra.

Semana Grande.

Carnavales.

Comparsa de Iñudes.

Ambiente callejero.

En San Sebastián se puede disfrutar tanto de la buena música...

...como de la diversión playera.

Dos imágenes del Festival de Cine de San Sebastián.

Dos aspectos del hipódromo de San Sebastián.

EL HIPÓDROMO
DE SAN SEBASTIÁN

Durante la Gran Guerra de 1914, Francia había puesto todos sus recursos económicos y humanos en la lucha. El «premier» Clemenceau prohibió las carreras de caballos, considerándolas como un atentado a las consignas de austeridad dictadas durante la contienda. Fue entonces cuando Georges Marquet, un hombre ligado al Casino de San Sebastián, ofreció a purasangres y cuadras francesas la oportunidad de competir aquí. Pero, para ello, hacía falta construir un hipódromo con toda urgencia.

La iniciativa encontró el mejor eco en el Ayuntamiento, quien puso a disposición de los promotores un terreno boscoso, situado en el barrio donostiarra de Zubieta. Las obras quedaron finalizadas en nueve meses y medio.

El hipódromo municipal de San Sebastián se inauguró el 2 de julio de 1916, asistiendo al acto el Rey de España, Alfonso XIII, con todos los miembros de su Corte y ministros del Gobierno.

La terminación de la Gran Guerra hizo volver a Europa a las grandes cuadras. Pero San Sebastián no se resignó a que sus carreras de caballos perdieran categoría internacional. Y en el año 1922 se anunció un premio de 500.000 pesetas, uno de los premios mejor dotados del mundo y equivalente a más de medio millón de dólares actuales. El éxito de aquella carrera trajo, al año siguiente, los legendarios colores del Príncipe Aga Khan. Su debut no pudo ser más afortunado y, con «Niceas», ganaba el Gran Premio de 1923. A partir de esta fecha, y durante sesenta años consecutivos, el Hipódromo de Donostia-San Sebastián organizó –junto a Madrid, en invierno– las únicas carreras de caballos en España. En este tiempo se creó en San Sebastián una afición muy importante.

En los últimos años, el Ayuntamiento de Donostia-San Sebastián ha emprendido una acción clara de apoyo a su hipódromo municipal.

Se construyeron nuevas tribunas y más *boxes* para caballos. Se mejoraron también todas las instalaciones complementarias. Finalmente, se acometió la reforma de las pistas hasta dotarlas de cuantos elementos se precisan para el perfecto desarrollo de las carreras.

San Sebastián cuenta así con dos temporadas de carreras: la tradicional de verano, cada vez más amplia, y la temporada de invierno. En 1996 se celebró en primavera una tercera temporada.

A la izquierda, pesca del salmón en el río Bidasoa.

A la derecha, vista de Hodarribia.

ALREDEDORES DE SAN SEBASTIÁN
EL LITORAL

El río Bidasoa es la frontera que divide políticamente el País Vasco. En la margen derecha está Hendaya, perteneciente a Francia. En la izquierda Hondarribia (Fuenterrabía) primera población guipuzcoana hacia el este.

HONDARRIBIA (FUENTERRABÍA). Fue, durante siglos, plaza fuerte donde se libraron numerosas batallas. Conserva parte de su antigua muralla. El Castillo de Carlos V, que ha sido transformado en Parador de Turismo, es el núcleo del casco antiguo. Junto a él se encuentra un conjunto de edificios remodelados con gran acierto. Ya abajo, en la línea del mar, está el barrio de la Marina, el más típico de la población, donde se asientan las pequeñas casas de los pescadores con balcones pintados en colores brillantes y cubiertos de flores. Restaurantes y bares ocupan los bajos de estas casas ofreciendo producto de alta calidad gastronómica. Hondarribia posee una extensa y bella playa. En su puerto refugio amarran numerosos barcos de pesca que han de fondear también en el estuario del Bidasoa.
En Hondarribia está el aeropuerto de Guipúzcoa y las instalaciones de un magnífico Club de Golf.

IRÚN. Su posición fronteriza le hizo sufrir, durante siglos, los avatares de la guerra. Una batalla librada en su término –la de San Marcial– está en el origen de una fiesta singular denominada «El Alarde» y que se celebra el 30 de Junio. Irún cuenta con monumentos de interés como la iglesia de Santa María del Juncal, del siglo XVI, y la Casa Consistorial inaugurada en 1763.

PASAIA (Pasajes). Pasaia es el puerto comercial de Guipúzcoa. Ocupa una rada natural y se rodea de los tres Pasajes: Ancho, San Juan y San Pedro. En el primero están las instalaciones portuarias. San Juan y San Pedro son poblaciones pesqueras y merecen una visita detallada por el tipismo de su geografía.

ORIO. La playa se sitúa al final de la ría, junto a un camping bien preparado. Es pueblo de pescadores con numerosos restaurantes de calidad.

En esta página y la de al lado, dos vistas de Zarautz.

ZARAUTZ. Población turística asentada en una vega amplia que ha hecho posible la construcción de numerosos edificios y chalets dedicados al alojamiento de verano. Cuenta con buenas instalaciones turísticas –discotecas, salas de fiesta, campo de golf, restaurantes– y una extensa playa abierta, ideal para la práctica del surf.

Son numerosos los edificios de interés artístico, entre los que citaremos la Torre Luzea, construida en piedra de sillería del siglo XV por la familia de los Zarauz, el Palacio de Narros, la iglesia parroquial de Nuestra Señora la Real y el Convento de los Franciscanos.

GETARIA. Inconfundible a la vista por formar una península llamada, por su aspecto, *El ratón*. En Getaria nació hace 500 años Juan Sebastián Elkano, el primer hombre que dio la vuelta al mundo. Villa monumental, sus calles descienden en pronunciada pendiente hacia el puerto pesquero. La iglesia de San Salvador es, quizás, el monumento de mayor valor arquitectónico de la provincia. Desde el monte de San Antón se divisa un magnífico panorama de Getaria, de su puerto y playas.

Getaria cuenta con numerosos restaurantes y asadores de alta calidad donde se ofrecen las ricas variedades del pescado de costa.

«Surf» en Zumaia.

Vista de Zarautz. Al fondo, Getaria.

Dos vistas de Getaria.

*Zumaia, al fondo
la iglesia de San Pedro.*

Zumaia, desembocadura del Urola.

ZUMAIA. Esta villa, situada en la desembocadura del río Urola, cuenta con amplias playas y un magnífico paseo arbolado que lleva hasta el faro. Numerosos monumentos clásicos –Iglesia de San Pedro, Ermitas de Arritokieta y San Telmo, Casa Consistorial, Convento de San José– y la Casa-museo del pintor Zuloaga, que encierra una extraordinaria colección de pintura y escultura, hacen de Zumaia una oferta turística de primer orden.
DEBA Y MUTRIKU. Se sitúan sobre la carretera de la costa y en dirección hacia Vizcaya. Deba tiene una extensa playa y es centro veraniego importante. Destacaremos en Mutriku su parroquia del siglo XVIII y el puerto pesquero.

EL INTERIOR

Decíamos que la superficie habitable de Guipúzcoa es escasa. Fábricas y pueblos se asientan en los estrechos valles por donde discurren los ríos y las vías de comunicación. A medida que se avanza hacia el sur, el terreno se va elevando hasta culminar en un circo de montañas que cierran la provincia y que son las sierras de Aralar y Arantzazu.

OÑATI y ARANTZAZU. Constituyen un centro de excursión y visita del mayor interés. Oñate es población monumental importante donde habrá de visitarse la Iglesia parroquial de San Miguel, obra gótica del siglo XV, el Ayuntamiento del siglo XVIII y la Universidad, del siglo XVI, que cuenta con una importante fachada plateresca.

Desde Oñate se asciende por una escarpada carretera al Santuario de Arantzazu. En un paraje de rocas de belleza impresionante se alza la basílica, de moderna arquitectura, con obras de los mejores artistas plásticos del País. Arantzazu cuenta con numerosos alojamientos para el visitante que desee realizar excursiones hacia la campa de Urbía y Sierra de Aizkorri.

SANTUARIO DE LOIOLA. Está dedicado a la memoria de San Ignacio, fundador de la Compañía de Jesús, nacido en Loyola, y es objetivo de numerosas peregrinaciones cuya visita puede extenderse a las cercanas Azpeitia y Azkoitia. Existen varios restaurantes en el entorno del Santuario.

TOLOSA. Fue durante unos años, a mediados del siglo XIX, capital de Guipúzcoa. Villa industrial, es centro de la industria papelera. Cuenta con edificios de notable valor artístico como la iglesia parroquial de Santa María, del siglo XVII, la Iglesia y Convento de San Francisco, del siglo XVI, el Ayuntamiento y los palacios de Idiáquez y Atodo.

ZESTOA (Cestona) y su Balneario. Guipúzcoa es abundante en aguas termales y minerales. De entre los numerosos balnearios existentes a principios de siglo, subsiste hoy el de Zestoa, que ha sido objeto recientemente de rehabilitación, modernizando sus instalaciones. El municipio de Cestona tiene un notable conjunto histórico-artístico especialmente en sus edificios religiosos.

EIBAR, BERGARA, ARRASATE (Mondragón). Poblaciones de alta concentración industrial que conservan interesantes monumentos en sus cascos urbanos. Pero, aparte, cada una tiene una singularidad por la que se proyecta al exterior. Así, Eibar es la villa conocida por la fabricación de armas de fuego, y con un museo de la especialidad; Bergara, es la población monumental de las casas-torre y los palacios, donde se firmó el acuerdo que puso fin a la segunda guerra carlista; diremos de Mondragón que aquí surgió el fenómeno de las cooperativas industriales, objeto de atención para los estudiosos de la materia.

Mutriku (página de al lado), fachada de la Universidad de Oñati (arriba) y Basílica de Loiola, en Azpeitia (derecha).

EL MUNDO RURAL

Detrás de las ciudades y de los pueblos, colgados en las empinadas pendientes de la geografía guipuzcoana, existen enclaves singulares y varios miles de caseríos dispersos donde aún subsisten formas de vida rurales. Determinadas costumbres y tradiciones encuentran aquí su último reducto. El mismo paisaje de rocas y praderas permanece, a lo largo del tiempo, sin demasiadas variaciones. Y este mundo rural merece la pena ser visto y vivido por el visitante. Quien, para hacerlo, deberá adentrarse por carreteras secundarias y pistas en busca de ese algo primigenio que conforma el modo de ser vasco.

Los típicos caseríos donostiarras (arriba) y un levantador de piedras (derecha).

JUEGOS Y DEPORTES

Las costumbres ancestrales del País Vasco se manifiestan de muy diversas maneras. Una de ellas, quizá la más significativa, es la de los juegos y deportes, cuyas modalidades, de carácter completamente autóctono, tienen una característica común: el empleo de una gran dosis de energía física. Los juegos populares tienen su origen en el mismo trabajo que el campesino debe desarrollar en el caserío, durante su jornada laboral. Y este campesino o «baserritarra» en lugar de dedicar sus días festivos, sus horas de asueto, al descanso físico, lo empleaba en realizar las mismas faenas de su trabajo cotidiano, pero en la plaza pública, delante de un público apasionado y en competición con otros «baserritarras». Muchas son las modalidades de los juegos y deportes vascos. Su reglamentación procede de usos y costumbres que, como toda la cultura vasca, se trasmitía de forma oral.

Citamos seguidamente las más importantes modalidades: **pelota,** que es el más universal de los deportes vascos y se juega en diversas modalidades: con la mano desnuda, con pala y con cesta; **aizkolaris,** o corte de troncos con hacha; **levantamiento de piedra; competiciones de corte de hierba; arrastre de piedra por bueyes; sokatira,** o lucha de tiro de cuerda entre dos equipos.

Especial mención haremos de las **regatas de traineras.** Se utilizan en las competiciones antiguas embarcaciones de remos, empleadas en la pesca. Muchos puertos del País Vasco tienen una tripulación. Cada tripulación está compuesta por trece hombres y un patrón. La distancia a recorrer son tres millas marinas en mar abierto, en el tormentoso mar Cantábrico. Las pruebas constituyen un espectáculo inigualable, presenciado en San Sebastián por 100.000 personas.

Los populares aizkolaris (abajo) y las regatas de traineras (derecha).

Despedimos San Sebastián con la imagen del «Peine del Viento» y una vista crepuscular de la Playa de la Concha.